누군가의 추억

누군가의 추억

발　행 | 2024년 08월 01일
저　자 | 도수현
펴낸이 | 한건희
펴낸곳 | 주식회사 부크크
출판사등록 | 2014.07.15.(제2014-16호)
주　소 | 서울특별시 금천구 가산디지털1로 119 SK트윈타워 A동 305호
전　화 | 1670-8316
이메일 | info@bookk.co.kr

ISBN | 979-11-410-9918-3

누군가의 추억

도수현 지음

CONTENT

머리말

 인간을 포함한 모든 생명은 시간의 영향을 받는다. 그러기에 우리에겐 과거가 존재한다. 또 그러기에 우리는 과거에 대한 기억이 있다. 싱그럽고 파릇파릇하여 마냥 행복했던 시절이 있다. 그래서일까 우리는 그 시절에 느낀 기쁨을 다시금 느끼고자 한다. 어딘지 모르게 병든 사회 속에서, 옛날처럼 순수한 개인으로 거듭나고자 한다. 그리고 이 모든걸 위해서는 모순되게도 그때를 자주 떠올려야 한다. 과거에 느낀 행복과 초심을 추억하며 그 감정을 잃지 않아야 순수함을 느낄 수 있다.
 이 시집은 이를 모르는 채 행복만을 좇는 사람들을 위한 시집이다. 작가일지 독자일지 어쩌면 모두일지 누군가의 추억을 가득 담아놓음으로써, 비로소 그때의 순수함을 기억할 수 있기를 바라는 염원이 담긴 시집이다. 이곳의 시를 하나하나 읽으며 각자의 추억을 떠올릴 수 있기를 바란다.

제1장 꽃

꽃에 담긴 설레던 때를 잊은 이별들에게.

나의 여름

나의 아지랑이 속에는
너가 신기루처럼 흔들리고

나의 하늘 속에는
너가 구름처럼 떠다니고

나의 바람 속에는
너가 나뭇잎처럼 휘날리고

나의 꽃밭 속에는
너가 꽃가루처럼 퍼지고

나의 그늘 속에는
너가 냉기처럼 들어차고

나의 땡볕 속에는
너가 열기처럼 내리쬐고

나의 여름 속에는
너가 가득하다.

틀림없이

그날 하늘은 틀림없이 푸르렀다.
하이얀 구름이 그렇게나 선명했으니

그날 꽃들은 틀림없이 만개했다.
바람결 사이에 꽃내음이 가득했으니

그날 태양은 틀림없이 뜨거웠다.
온 길가에 아지랑이 피었었으니

그날 우리는 틀림없이 찬란했다.
파란 하늘 사이, 밝은 햇빛 아래
달콤한 바람 맞으며 함께했으니

틀림없이 아름답고 고귀했으니
틀림없이 앞으로도 계속.

수성

드높은 나의 하늘은
구름도 달도 없이
커다란 너로 가득하다.

내 정수리가 녹아내리고
내 발이 꽝꽝 얼어버린 것은

하늘 가운데에서 솟구치는
네 빛의 소행이구나.

뺨을 타고 흐르는 살점으로
발목을 덮은 얼음을 녹이자.

네게 묻은 빛으로 꼬리를 그리며
날 무너뜨리는 너에게 날아가자.

너를 두 팔 벌려 안아주며
날 바라보라고 외치자.

너의 티끌이 더 이상
내 모두를 지우기 전에.

나의 찰나를 너가
안아줄 수 있게.

해설

태양계 행성 중 태양과 가장 가까운 행성인
수성은 과학적으로 신기한 특징이 많다. 날
씨와 위성이 존재하지 않는다든지, 400도에
서 -170까지의 큰 일교차가 있다든지, 나트
륨으로 이뤄진 밝은 꼬리가 있다든지 하는
특징 말이다. 나는 이런 천문학과 문학의 낭
만적인 만남을 고대하며 글을 써 내렸다.

그대의 일렁임

온 세상이 푸르르고 밝은
뜨거운 여름날

태양을 머금은 바람이 불자
내 앞에 서 있던 그대가
바람결 따라 일렁였다.

아아, 그대는 신기루였던가
내 눈물이 햇빛에 못 이겨
증발하는 수증기였던가?

어쩌면 그저 아지랑이였던가
바람이 품은 아지랑이
그대를 스친 것뿐인가?

대답 하나 없는 그대
내게 미소만 짓고 있다.

나의 꿈결이여.
나의 그대여.

매화

꼬리도 없이 떨어지는
작은 빗줄기 사이로
새하얀 매화 동그랗게 샘솟네.

가득 피어나는 꽃잎에는
꽃길에 퍼진 봄을 들이마시며
발맞추어 함께 걷는 장면이

비구름이 물러난 후
윤슬처럼 햇살 받은 꽃잎에는
푸르른 바닷바람 함께 쐬는 장면이

벌써 붉어진 몇몇 꽃잎에는
가을을 알리며 익어가는 단풍을 보듯
명화 같은 풍경 함께 보는 장면이

가지에 쌓인 눈처럼 하얀 꽃잎에는
소복한 눈밭에 드러누워 웃는 장면이

고작 어여쁜 매화 한 그루에는
사계절 함께하는 우리의 장면이 있다.

나 그대의

나는 그대에게 무엇일까요?
힘들 때 기대어 숨 고르는
커다란 고목일까요?

하늘 높이 비상하게 할
하얀 날개일까요?

보고만 있어도 웃음 짓는
보석 같은 오르골일까요?
그러면 얼마나 좋을까요….

나는 가끔 그대
눈물의 이유가 나일까 봐

그대 발목 잡는 손이
나의 것일까 봐

수백 번 망설이고
수천 번 고뇌합니다.

여전히
나 그대의 휴식이길.
나 그대의 미소이길.

열쇠

똑똑 똑똑
자물쇠 걸린 서랍을 두드리면
사진 속의 그대가 날 반겨준다.

토독 토독
대화창에 걸린 비밀번호를 풀면
그대와의 깊은 애정의 역사가
끝도 없이 건국되어 있다.

저벅 저벅
어디를 가든지 내 풍경 속에는
노을에도 꽃들에도 달빛에도
항상 그대가 예쁘게 깃들어있다.

똑똑 똑똑
나의 열쇠로 연 곳에는
수많은 사랑의 역사 사이
그대 이름이 새겨진 태양이
우리를 비추어주고 있다.

바닷가와 태양

어둡던 바닷가에 그대 뜨고서
하늘이 정신 못 차리도록 맑아지고

윤슬은 두 눈 따갑게 반짝이며
그대 열기 머금은 모래알이 달아오른다.

수평선 지워질 만큼 깜깜하던 바닷가에
하늘에 물든 갈매기가 푸르게 울어대고

바다에서 피어난 파도도 푸르게 철썩이며
소금기는 푸르른 향 퍼뜨리며 흩어진다.

광막하게 어둡기만 하던 바닷가는
놀랍도록 밝은 태양 만개하여
한없이 푸르르게 밝아졌다 한다.

시간

행복 가득 묻은 초침
화려한 폭죽 터지듯
눈 깜짝할 새 흐르고

평화 가득 묻은 분침
따스해진 일상 흐르듯
평범하게 무난히 흐르고

행운 가득 묻은 시침
진심 담아 한자씩 쓰듯
아주 느리고 천천히 흐르고

나란히 선 둘 앞 펼쳐질 시간
그 모두 웃음꽃 활짝 피어나
두 손발 맞춰 함께 걸을 테니

지하

공들여 다듬어둔 지상 그 아래
아담하고도 어두운 지하에는
아늑하고도 안온한 지하에는

잊히지 말라 기도하며
인화해 둔 추억들 가득하다.

수많은 기억 사이 유난히
빛바래지 않을 추억 속

그대와 함께 갔던 식당
그대와 함께 맞춘 옷

음식 맛있게 먹는 그대 모습
옷 입고 기뻐하는 그대 모습

소중하고도 찬란한 그대 담긴
사진 온 벽 가득 채워지고 있다.

여전히

그대가 꽁꽁 얼어붙은 산
서리 내린 동굴 속 있대도

혹은 해도 무서워 피해 가는
어둡고 축축한 산속 있대도

결국 감히 건너갈 수 없는
지금의 시침 너머 있대도

그대가 설화 되어 전해진
불가사의한 괴물이래도

어떻게든 기어이 그대 찾아
넘어져 다친대도 그대 찾아

그 험난한 곳임에도
그 위험한 존재임에도

여전히 나는 그대여야 함을
들릴 만큼 크게 외쳐주리

생일

오늘 산 위로 올라오던 태양
유독 나를 밝게 바라봤던 듯
저물 때까지 가득 화려한 듯

오늘 풀잎 가로질러 불던 바람
유독 내게 꽃내음 실어 분 듯
마치 내가 이 하루의 주인공인 듯

윤기 흐르는 진수성찬 차려진 듯
축하 담은 나발 울려 퍼지고
환호 소리 들리는 듯한 생일

그대 마주 보는 매일매일
이만큼 행복한 생일인 듯

그대 함께하는 매일매일
끊이지 않는 생일인 듯

기다림

나른한 오후 어디쯤
노을이 지기 전 그쯤

잔물결 이는 바람 느끼며
그 속에 실린 햇살 느끼며

애매한 주홍빛 그쯤
푸르름 남은 어디쯤

새들이 떠나가는 소리 들으며
나뭇잎 서걱대는 소리 들으며

이 한가한 오후 속
할 일 없는 시간 속

땀 나게 바쁜 그대 기다리네.
열심히 사는 그대 그려보네.

이 해가 다 지고서
밤이 찾아오고서

돌아올 그대 기다리네.
품에 안길 모습 그리네.
우리로 쓰일 미래를.

침묵의 나무

나는 그대를 기다렸다.
연락을 기약하며 멀어지던 발걸음을
길거리 사이 스치는 발걸음에 담으며

나는 그대를 기다렸다.
들려오는 모든 소리로 그대를 그리며

이제 나는
고요히 떠다니는 구름처럼

그대를 떠오르게 한 소음에게서
천천히 멀어지려 한다.

하늘의 정적을 들이마셔
진심을 짓누르던 소리를 내쉬려 한다.

뿌리내린 그대를 모두 뽑아내어
나를 새롭게 키우려 한다.

잎사귀 그대에게 닿을 만큼 거대한
침묵의 나무로 자라나려 한다.

별빛

하늘 너머 드높은 어딘가
내게 밝은 빛을 쏘아주니

당장이라도 달려 올 듯한
아담한 별이었다.

너가 내려보낸 빛줄기로
너와 나를 단단히 엮어
우리가 되기를 바랐다.

다만 너는
네가 쏘아주던 빛에는
마지막 한마디뿐이라

멀고 먼 네 향기
드디어 내게 흘러왔을 때

그 한 몸 불사질러
거세게 밀어 보낸 목소리
겨우 내게 들릴 때

이미 너는 없었다
둘을 바라던 우리가
하나가 되고서야 알았다

다시 만날 수 있기를
마지막 별빛도 꺼져가는 밤에

이미

꺼져가는 그대 눈 속의 불씨를
이제 더는 지필 수가 없네요.

하늘의 빛이 땅에 닿을 때
그의 주인은 이미 없듯이

이미 멀어진 그대 반짝이던 때
잠깐 내게 닿았었던 것일까요?

마지막 잔상마저 사라져 가네요.
이제껏 내 앞에 서 있던 그대는
진정 그대였을까요?
여름날 아지랑이였나요?

이제는 그마저도 알 수 없네요.
안녕히

해설 (별빛, 이미)

'수성'의 해설에서도 말했다시피 나는 천문학에 낭만이 존재한다고 생각한다. 우주가 너무나 광막히 큰 탓에, <u>우리가 보는 별은 엄청나게 먼 과거에 만들어진 빛이 이제야 닿은 것</u>이라는 걸 알고 있었나? 그렇다면 별이 <u>죽음의 순간이 되어서야 가장 밝고 찬란한 빛을 내는 것</u>은 알고 있었나? 이런 신기하고도 낭만 있는 천문학을 나는 문학으로 많이 풀어내고 싶다.

숲

휘이 휘이
세찬 바람결 따라
잎사귀가 춤을 춘다.
그 푸르름이 파도친다.

눈 시린 햇살이
나무의 물결 사이로
반짝임을 빚어낸다.

일렁이는 숲에 윤슬이 반짝인다.
사무치는 아름다움에 홀려
나를 벗어날 수 없도록 한다.

이 눈부심이 그리울
먼 순간을 걱정하게 한다.

그토록 아름다운 너라도
결국은 두고 가야 함을 알기에
잠시 놓아두고 발을 돌린다.

징검다리

투둑투둑
봄비의 손을 잡고서
꽃잎이 다 떨어져요.

꽃잎에 꾹꾹 눌러 쓴 소원도
점차 만개하던 꽃의 생김새도
비에 섞여 다 같이 투둑이네요.

아아
벚나무 잃어버린 우리는
다시 만날 수 있을까요

빗물이 채운 호수 위로
꽃잎 하나둘 착지해서
고운 징검다리 지을 때

아주 길쭉한 다리를
숨 가쁘게 뛰어가서
그때 다시 만날까요

한밤중의 황혼

만물 위로 내려앉은 깜깜한 밤
나룻배 띄운 소년 홀로 항해한다.

어둠에도 빛 바라지 않은
어여쁜 꽃다발을 쥐고서 항해한다.

밤하늘 사이 초승달이 만개하고
달빛 머금은 윤슬이 일렁인다.

고개를 든 소년의 눈에는
별빛이 억새 같은 비처럼 쏟아진다.

하늘을 수 놓은 별은 폭죽이 되어
수면 위로 떨어져 춤을 춘다.

소년이 넋 놓은 그 순간마저
별은 치렁거리는 빛을 두르고
달은 은하수 같은 길을 내준다.

이 모든 찬란함은 분명
그 꽃다발에 담긴 마음

별빛처럼 밝고 뜨거운
꽃다발 속의 마음을
하늘이 응원하고 있음이라.

소년은 하늘을 보며 미소 지었다.
이내 별이 힘차게 반짝인다.

봄 내음

시리던 겨울이 한 걸음 물러나고
따스한 공기가 들어찬다.

평온한 기온 사이
나무들은 꿈틀대며 꽃망울 맺고
동물들은 단잠 끝에 기지개 켜며

살랑이는 바람 사이
노을빛 같은 봄 내음이 담긴다.

따뜻하고 몽글몽글한
알 듯 모를 듯 풍기는 봄 내음을
가득 들이마시려 한다.

두 팔 가득 벌리어
한 아름 안으며 환영하려 한다.

따스한 너를 닮은 봄 내음 속
네 이름을 적어두기 위해서

봄 향기가 코를 스칠 때마다
너를 더 많이 떠올리기 위해서.

제 2 장 밤하늘

밤하늘처럼 찬란한 미래를 추억 삼을
청춘들에게

제비꽃

날카로운 화살이 날아오듯
거센 폭우가 쏟아져도

비옥해진 땅을 딛고서
깊게 뿌리를 내려라

뜨거운 아스팔트가 굳게 깔려도
차가운 눈송이가 내려앉아도

기어이 뚫고서 자라날만큼
단단한 줄기를 세워라

그 무엇보다 값지고 아름다울
어여쁜 꽃을 피워내라

이미 활짝 피어난
저 제비꽃처럼

민들레

길목을 거닐다 마주친
작은 새싹 하나

두꺼운 바닥 뚫고 뿌리내린
겁 없는 새싹 하나

그래 너는
민들레로 피겠구나.

눈 시린 햇살에도 살고
뼈 아픈 빗물에도 버티어

민들레꽃으로 피우고자
무모히 새싹을 틔웠구나.

언젠가 활짝 만개할
금빛 꽃이 다 지면

하얀 홀씨가 되어
하늘을 훨훨 노니겠구나.

구름을 힘차게 뚫고 나가
광활한 하늘에 뜨겠구나.

그래 너는
대담한 태동 한 점 울려
온 대지 밝히겠구나.
온 하늘 속 춤추겠구나.

나무에게

따스한 바람 사이로
가득 피운 별 흩뿌리던 너는

뜨거운 햇살을 향해
푸르른 손 내밀던 너는

따가운 성장통 떠올리며
온몸 붉히던 너는

한기 무겁게 내려앉아
가지 하나 건사하기 힘들어도

뿌리를 땅 끝까지 뻗어
결국 눈보라 버티리라

만물의 온기를 머금어
두꺼운 이불을 녹이리라

전보다 더 푸르른
새잎을 돋치리라.

해설

난 평소에 주변을 둘러보고 관찰하는 걸 좋아한다. 정확히는, 내 눈에 들어온 무언가를 주제 삼아 꼬리에 꼬리를 물면서 생각하기를 즐긴다. 내 시에 관한 영감 대부분은 그렇게 시작한다. 예컨대, 내가 숲에 있다고 생각해보자. 그렇다면 바람에 흔들리는 나무들은 파도치며 춤추는 푸르름이 되고 햇살을 받아 반짝이는 나뭇잎들은 그 파도의 윤슬이 되는 것이다. "나무에게"라는 시의 탄생도 다르지 않다.

우리 집 앞에는 벚나무가 하나 있는데, 그 나무 덕분에 봄에는 분홍빛 벚꽃을, 여름에는 푸르른 녹엽을, 가을에는 붉은 단풍을, 겨울에는 허전한 가지를 전부 볼 수 있다. 어느 겨울밤 산책을 하다가 이 벚나무를 바라보고 상상을 시작한 것이다. "이 초라한 가지에서도 몇 개월 뒤엔 다시 꽃이 피겠지.", "그 꽃이 저물어도 녹색 잎사귀가 자라고 단풍이 지겠지.", "그렇게 또다시 여기에 머무르겠지.". 이렇게 꼬리를 물고 물던 생각은 어느새 발전해, "만약 이 나무가 봄이 올 줄 모르고 슬퍼

한다면 영영 자신의 때가 오지 않고 슬퍼하는 사람들을 닮았겠지."라는 생각으로 발전했고 결국엔 "그렇다면 그런 사람들과 나무에게 봄 여름 가을이 지나 겨울이 오면 다시 봄이 오듯이, 빛나는 과거가 지나고 초라한 현실이 다가오면 다시 찬란한 미래가 온다는 것을 알려주자!"라는 생각에 도달했다.

그렇게 나무에게 보내는 편지 같은 이 시는, 더욱 멋진 미래를 앞두고서 힘든 현실에 슬퍼하는 사람들을 위한 시인 것이다. 원래는 이 내용을 더 강조하고픈 마음에 제목도 '이 겨울, 나무에게'로 하려 했던 것처럼 말이다. 고된 현실에 슬퍼하는 모두가 이 시를, 이 글을 읽고 한 번만 다시 생각해보았으면 좋겠다. 그 겨울이 영원하지 않음을 말이다. 이제껏 그래왔듯.

윤슬

작은 배 속 눈물 가득 싣고
지도 끝에 해 그려두고서
항해하는 짙은 그림자

뜨거운 태양 마주하는 순간
제 온몸 바스러질 줄 알면서

어두운 밤사이 영생 대신
밝은 태양 앞 잠깐 빛나는
별 되기를 택한 그림자

온 생애 건 고귀한 도전
온 하늘이 응원하는 듯

반짝임을 수 놓아둔 다리 그려
기어이 태양 향해 손 뻗기를

주인공

그래 구름아.
저 멀리 지평선 위로
검고 길게 그려진 산줄기

그 뒤로 추락하는 해의
붉은 비명을 머금어라.

땅거미 가득 내려앉아
어둑한 하늘의 광원이 되리라.

태양이 지저귀며 비행할 때도
별들이 흩뿌려져 있을 때도

하늘의 조연이던 너는 마침내
하루의 단역이던 너는 기필코
황혼의 주연이 되리라.

밝은 빛에 가리어
하얀 구름이던 너는 이내
어여쁜 노을의 주인공이 되리라.

해설

　난 평소에 주변을 둘러보고 관찰하는 걸 좋아한다. 정확히는, 내 눈에 들어온 무언가를 주제 삼아 꼬리에 꼬리를 물면서 생각하기를 즐긴다. 내 시에 관한 영감 대부분은 그렇게 시작한다. 예컨대, 내가 숲에 있다고 생각해보자. 그렇다면 바람에 흔들리는 나무들은 파도치며 춤추는 푸르름이 되고 햇살을 받아 반짝이는 나뭇잎들은 그 파도의 윤슬이 되는 것이다. "주인공"이라는 시의 탄생도 다르지 않다.

　다들 알다시피 자습이 끝나갈 때쯤 우리 학교의 복도 창문으로는 어여쁜 노을이 가득 물든다. 특히 1, 2, 3반에서는 조금만 옆을 바라보면 영진전문대 뒤로 검은 산줄기도 길게 그려진다. 그 황혼을 넋 놓고 쳐다보고 있으면 그 아름다움이 나에게까지 덧칠되는 기분이 들어서, 나는 그 시간대를 참 좋아한다. 어느 날은 여전히 노을을 보던 중에 한가지 떠올린 게 있다. 물론 하늘도 예쁘지만, 노을을 머금은 구름이 너무나 아름다운 것이 아닌가? 낮
에는 하얗고 밤에는 어둡던 구름이 그렇게나

아름답게 떠다니는 걸 보고 나는 "가히 노을의 주인공은 구름이구나."라며 생각했다. 그 생각은 곧 "온 하루의 조연이던 구름도 황혼에서는 저렇게 아름다운데, 사람이라고 다를까? 다 각자에게 맞는 때가 각각 있는 것 아닐까?"라는 생각으로, 또 이는 "이걸 몰라 본인에게 때는 오지 않는다고 생각하는 사람이 많지 않을까? 그럼 내가 그걸 알려주어야겠다!"라는 생각으로 발전해 이 시를 쓰게 되었다.

　그리하여 구름에게 보내는 편지 같은 이 시는, 하루가 다 끝나가는 황혼의 때라도 주인공이 되는 순간은 반드시 온다는 말을 담고 있다. 만일 이 시를 읽고 있는 사람 중 나의 때가 오지 않는다며 슬퍼하고 있는 사람이 있다면 다시 한번 생각해보길 바란다. 본인도 언제든 가득 어여쁠 수 있는 구름임을.

지우개

드높은 산맥 아래
부러진 날개를 품에 안고
눈물 흘리는 그대여

그대에게 편지를 보내려다
선 하나를 짧게 깎고
단어 하나를 비우고
문장 하나를 지우면

그대의 눈물을 닦아줄
온화한 말을 고르다 보면

구겨진 편지 위에는
조각난 지우개뿐이다.

깨끗한 편지 위에는
나의 마음뿐이다.

해설

난 평소에 주변을 둘러보고 관찰하는 걸 좋아한다. 정확히는, 내 눈에 들어온 무언가를 주제 삼아 꼬리에 꼬리를 물면서 생각하기를 즐긴다. 내 시에 관한 영감 대부분은 그렇게 시작한다. 예컨대, 내가 숲에 있다고 생각해보자. 그렇다면 바람에 흔들리는 나무들은 파도치며 춤추는 푸르름이 되고 햇살을 받아 반짝이는 나뭇잎들은 그 파도의 윤슬이 되는 것이다. "지우개"라는 시의 탄생도 다르지 않다.

내가 어느 날 SNS에서 글 하나를 보았었다. 지우개가 틀리거나 잘못 쓴 말을 지운다는 점을 이용해서, 어느 초등학생이 맞춤법을 일부러 틀린 일기를 쓴 채 제목을 '지우개의 편지'로 지은 것이다. 당시에 이 글을 보고 신선한 충격을 받았던 기억이 최근에 다시 들었고, 거기서부터 상상을 시작했다. 마침 그때는 아끼던 사람이 힘들어하는데 마땅한 위로를 하지 못하던 상황이었기에 상상이 더 쉬웠던 것 같다. "내가 건네는 위로가 누군가에게 독이 될 수도 있지 않을까?", "본인이 괜찮아지기를 바라는 누군가의 마음만으로도 치유될 수 있을까?" 하던 와중에 SNS의

글이 떠올랐고, 이내 "괜찮아졌으면 해서 지우고 또 지워 더러워진 지우개에 담긴 마음은 어떨까? 하는 생각에 도달해 이 시를 쓰게 되었다.

이 시의 지우개는 소중한 누군가를 상처 주지 않고 위로하고픈 깊은 마음에, 조각날 정도로 말을 다듬은 것이다. 그 마음을 증명하듯 편지는 구겨져 있음에도 아무것도 쓰여있지 않다. 실은 엄청난 위로와 지움을 반복한 결과겠지만. 이 시가 힘들어하는 나의 소중한 사람을 보고 쓴 시인 만큼, 힘들어하는 이들에게도 닿았으면 한다. 작은 편지를 수놓은 작성과 삭제에 담긴 마음만큼, 부서진 지우개의 조각 하나하나에 담긴 마음만큼 위로받았으면 한다. 편지의 공백에 담긴 마음만큼 말이다.

풋잠

나는 자그마한
풋잠을 자려고 해요

온종일 눈을 뜨며
모든 걸 보아오던 내게
침대를 놓아주려 해요

모든 시간도 역사도
가득 들어찬 내 머리에
깊은 틈이 나려 해요

그 상처에는 강이 흐르겠죠
찰나의 티끌 같은 기억일지
사무치게 소중한 순간일지 모를
기억의 강이 흐르겠죠

머리가 다 비어버리기 전에
결국 그대마저 사라지기 전에

공들여 쌓은 모래성까지
물살에 쓰러지기 전에
모래알들은 흘려보내려고 해요

밀어 보낸 기억의 빈칸에는
새로운 기억을 담아야 하겠죠

너무 깊지는 않은
풋잠을 자려고 해요

거울

어느 날
거울을 빤히 바라보았다.

너에게 색채가 있느냐?
너의 표면에는 색깔이 있느냐?

너에겐 광채가 있느냐?
너의 몸에는 반짝임이 있느냐?

아아 그래 너는
만물의 색채를 들이마시었구나.
모든 이의 색깔을 가지었구나.

아아 그래 너는
모든 광원을 닮았구나.
하늘의 빛을 다 담았구나.

무채색인 줄 알았던 너는
무지개였구나.

언젠가 다시

하얀 향기 흩뿌리는 꽃이 지면
가지 사이 잠깐 핀 별들이 지면

영영 시리고 앙상할 줄 알았지만
푸르른 새싹이 가지를 뒤덮어준다.

하루에 단 한 순간뿐인 노을이 지면
신께서 공들여 칠한 그림이 저물면

온 세상이 눈먼 듯 어두운 줄 알았지만
밝은 은하수를 두른 달이 날 비춰준다.

가득 무르익고서 타오르던 녹엽들이
부끄러운 사춘기였음에 잎사귀 내려도
언젠가 향긋한 색채로 다시 피고

밤하늘 뒤덮은 윤슬에 눈 아려
이 땅이 잠깐 고개 돌리더라도
뜨거운 해가 다시 비춰줄 것이다.

동화

뱉은 말을 주워 먹고 산다는
어두운 그림자로 빚은 쥐

행복한 기억에 뿌리내려
눈물 모두 잊어먹게 한다는
하이얀 은하로 피운 꽃

무지갯빛 지팡이 휘두르며
아무 고통 없을 꿈으로
영영 데려다주는 마법사

언뜻 행복해 보이는 이곳은
조금도 자라날 수 없는
잔혹동화다.

꽃병

찬란한 붉은 빛으로 만개한 장미
꽃잎 죄 볼품없이 시들어가고
가시 쉼 없이 자라 서로를 찌르네.
언젠가는 다시 만개할 테니.

태양을 동경함에 꼿꼿이 고개 들다가
얼굴 가득 그을려버린 작은 해바라기
끝없는 갈망에 결국 노란 날개 돋으니
바라보던 미래로 이제 비행할 테지.

사무치게 시린 겨울 속 핀 동백
뼈를 찌르는 추위에 온몸 붉어져도
위대한 발자국 남기며 걸어가네.

칠흑 같은 어둠 달빛으로 베어
기어이 고개 든 달맞이꽃
밤의 요정 되어 홀로 나아가리.

나의 꽃병 속 꽂혀 있는
아담하고 소중한 꽃들.

장미의 세계

눈 시린 하늘 아래
길을 거닐고 있으면

덩굴째 핀 장미들이
담장에 팔을 걸치고 있다.

풀숲 사이 하나둘 붉게 맺혀
햇살처럼 탐스럽게 익어가는
장밋빛 봉오리도 있고

그토록 피어 어디에 닿으려는지
겹겹이 쌓인 고운 손을 뻗어
만개한 장미도 있다.

아직 그저 수풀인 풀잎도 있고
활짝 피었다가 저무는 꽃잎도 있다.

아아, 보아라.
몇 걸음 채 안 되는 덩굴에
이토록 다른 세계가
열심히 흘러가고 있다.

이것이 꼭
장미 홀로 그러하지는 않을 테니.

제 3장 창문

비바람 무서워 창문을 굳게 닫은
시간들에게.

꽃잎

바람 솨아 불어오면
이 따스한 낮의 하늘
분홍빛 별 펼쳐진다.

이리저리 흩날리며
여기 빛나고 저기 빛나는
자유로운 별이 펼쳐진다.

어디로 날아가나 뒤돌았을 땐
하늘은 그저 새파랗다.

구름 사이 숨어버린 별
밤에 다시 찾아오려 하네

이미 아리따움에도
하늘은 단지 새파랗다

이 세상은 빛투성이다.

누군가가 밝게 돌아가길 바라는
가로등 하나씩 모이면

각자의 가치를 준비하고 있는
건물에 켜진 빛 모이면

개인의 안식처로 돌아가는
자동차의 불빛 모이면

따스한 마음 하나하나 모여서
이 세상은 생각보다 빛투성이다.

목걸이

수많은 이들의 피 섞인 채 굳은
여왕의 목걸이는 매혹적으로 붉고

눈물도 피도 섞인 상처 입은 영혼 담긴
의사의 목걸이는 푸름에도 더럽혀졌고

바삐 쓰러져간 숨 쉬던 생명 들어간
건축가의 목걸이는 눈멀 만큼 옥빛 띠고

순백의 눈이 되어 거짓으로 살아남고자 한
북극곰의 목걸이는 흰 칠이 된 검은색이고

태양을 동경함에 따라 하기 바빴던
달의 목걸이는 노랗지만 밝지 못할 것이다.

그대의 목걸이에는 무슨 색이 비치는가?

장미

모든 것들에 피어
색도 향도 제각각인
장미 한 송이

화려한 꽃잎 아래
작은 가시 숨겨놓은
장미 한 송이

이곳저곳 연 지으매
깊게 베인 상처 속

여기저기 지은 연
보답 없는 사랑 한 알

한껏 뒤엉켜 잘라내는 연
흘려버린 눈물 한 방울

무엇 하나 없으면 안 될
장미 피어나네.

상할까 살금살금
다칠까 살금살금

조심히 다가간 손끝
피 일어나네.

그럼에도 꼭 쥐고 있는
어여쁜 장미 한 송이

빗줄기

투두둑 투두둑
빗줄기가 내린다.

축축하고 서정적인 비 냄새가
나 홀로인 교실에 안개처럼 퍼진다.

정갈하고 간지러운 빗소리가
웅덩이 고인 운동장에 메아리친다.

이리저리 춤추는 나뭇잎들이
창 너머 내게 손짓한다.

토요일 오후 홀로 앉은 우리 반
그 안에서 홀로 되뇐다.
이 순간이 아주 그립겠다고.

물고기

물고기야 물고기야
부드럽게 헤엄치는 물고기야

드넓은 홀로인 줄 알며
슬픈 춤을 추는구나.

물고기야 물고기야
태양의 눈길 끝에 맺히는
윤슬을 본 적 있느냐?

네 위로 어여쁜 윤슬이 피었는데
그 반짝임을 네가 알 길이 없구나.

그 밝고 따스한 시선을
마주 볼 길이 없구나.

네가 춤추는 곳 또한
누군가의 마음속임을
느낄 길이 없구나.

중독

연필을 쥐어 글을 써 내린다.
꺼낼 수 없는 진심을 담는다.

머릿속 가득 피어오르는 영감은
뭉치고 뭉쳐 눈으로 흘러나온다.

뺨을 타고 흐르는 영감은 어느새
뾰족한 연필심 끝까지 다다른다.

영감이 묻은 심은 종이와 마찰한다.
이내 크고 밝은 불티들이 흩날린다.

한 글자 한 글자 써 내리매
불티는 점점 모여 빛이 된다.

타오르는 빛에
연기가 스멀스멀 올라온다.

가루가 된 흑연의 부유인지
종이의 연소인지 모르는 채
연기를 깊게 들이마신다.

무한히 확장되는 영감
폭포처럼 터져 나오는 감정
이성을 잃고 눌러 씀의 쾌감
이 모두가 담긴 연기를 마신다.

연기의 근원을 떠올릴 때는
이미 정신을 잃어가고 있다.

나는 그 연기에 중독된 것일까?
그마저 사실은 알 수 없다.

비가 그치고 나서는

회색빛 구름이 하늘을 가득 덮고
쌀쌀한 잿빛 바람이 불어온다.

온몸을 가득 움츠리고
온기를 한 점이라도 끌어모으며
한발 한 발 내디딘다.

저 멀리 건물 너머로는
가늘게 드러난 파란 하늘이

빗줄기의 잔재를 걷고 나온
파란 하늘이 내게 인사한다.

영원할 것처럼 사납게 내리던
비가 그치고 걷힌 파란 하늘이다.

마음 깊숙이 햇볕을 쬐어주는
파란 하늘이 내게 손 흔들고 있다.

아무리 거센 비구름이라도
결국 파랗게 걷히리라며
내게 웃어 보인다.

필히 해는 뜨기에

서랍에 고이 담아둔 눈물은
가득 차 넘치려 하고

비명이 풍기는 악취는
온 방에 배겨가고

나를 갉아먹는 허망함은
점점 배를 불린다.

시침이 다 녹슬고 나서야
그 눈물이 다 마르고
분노가 다 환기되고
허망함이 힘을 잃으리다.

그럼에도 이제껏 그래왔듯이
아무 일도 없었다는 듯

내 깊은 곳 귀퉁이 한편에
쌓아둘 수 있을 때까지.
기어이 버텨내자.

온몸을 떨어가며
이를 꽉 깨물며 버티자
필히 해는 뜨기에.

유서

만일 내가 이별이 있는 곳으로
멀리 여행을 떠난다면
다시 그대와 만날 수 없다면

나를 아끼던 마음의 허리를 베어
반 틈의 크기만 슬퍼해 주어요.

우리가 함께 걸었을 때의
하늘의 색채가 돌아오면 잠깐

우리가 함께 보았던 꽃이
다시금 만개하면 잠깐
그대의 잠깐을 빌려 기억해 주어요.

너무 깊고 길게 그리운 날엔
그 마음을 종이에 적어서
강에 둥둥 띄워주어요.

얕게 떨리는 숨을 담아
나를 보며 지을 미소 담아
내게까지 보내주어요.

나는 수평선 너머에서
그대의 따스한 온기를 느끼며
그대의 웃음소리를 들으며

나의 좋았던 점을 들으며
그대를 향해 미소 지을게요.
밝은 햇볕을 쬐어줄게요.

그 햇살과 함께하며 살아줘요.
내 몫을 다 짊어지지 말아줘요.

나의 행복을 햇빛에 남겨두었으니
그를 전부 누려주어요.

이 작은 시를 시작으로
축복도 사랑도 꼬리를 물어
그대는 살아가는 거예요.

내 그토록 짧은 삶을
의미 있게 해주어 고마워요.

그대의 짧은 순간순간들 속
잠깐씩 만나요
안녕히.

노을

박수받은 노을 데리고
지평선 너머로 떠나가는 해야

황혼 시절의 영광이 함께 저물어도
오후의 명화가 함께 어두워져도

찬란했던 그 시절의 사진들이
다채로운 과거들의 기록들이
영영 남아 기억될 테니.

사라지기 직전 마지막 땅거미까지도
그대는 더할 나위 없이 찬란하다.

작가의 말

추억은 생각보다 더욱 중요하고 값지다. 미래를 살아가는 원동력이자 나침반이 될 수 있는 것이다. 가끔 현재의 삶의 빛이 바래갈 때면, 과거를 추억하며 잠시 쉬어가자. 과거의 행복을 되뇌면서 미래를 살아갈 단서를 얻을지도 모른다.